제21화 「팔백만의 신」

약하네.

그래서는 앞으로 천 년이 흘러도 나를 쓰러뜨릴 수 없어.

앞으로 인간을 덮치지 않는다고 약속한다면

못 본 체 해 주겠어.

어떻게 하겠어?

어떻게 하겠냐….

도망치겠어?

혹시 나는 괴물의 나라에 잘못 흘러든 것일까…

또 신인가.

저건 요괴야.

요괴?

타다닥

나라에 따라서는 마물이나 요정이라고 불리고 있어.

너처럼 몸을 반쯤 저승에 걸친 자들이라고 할까?

자.

타다닥

내가 널 쓰러뜨렸기 때문에

안심하고 밖으로 나온 거야.

역시⋯

따분해!!

뭐…
8할은
그럴지도
모르지.

이런 게
신이 하는
일이냐!

인간들을
지켜보고
있는 거야.

뭘 하는
거냐?
이거!

참아.
참을성이
없네.

게다가 나한테는
먹잇감이 눈앞을
얼쩡대는 걸로만
보인다고!

인간들이
특별한 기도를
해오지 않으면

매일
이 일상이
반복돼.

너무
지루해서
머리가
돌아버릴
거다!

네
노림수가
그거냐!

한계를
넘으면
아무것도
안 느껴지니까.

으에에엥!

어머어머.
왜 그러니?

이곳에
있어서는
안 돼.

이곳에 있으면
나 자신이
아니게 된다.

혼자서는
살아갈 수
없는

나약한
인간으로
돌아가
버린다.

츠키가타님.
늦으시는걸…

평소라면
저녁식사
시간이 되면
돌아오시는데

드륵

츠키가타
님.

악마에게 혼을 팔아서라도.

요괴와 엮여서 요괴가 된 것이겠지.

자주 있는 일이야.

악마에게 혼?

움직일 수 없는 몸으로 몇 백 년이나 바다 속에서 계속 발버둥쳤다!!

바다에 버려져

그러나 힘이 부족했던 탓에 배신을 당했다!!

불에 태워지고

이제는 한계다.

죽고 싶다.

죽게 해 줘.

이름	츠키가타
신장	175cm
좋아하는 것	산나물 채취
	아즈키와 운즈키의
	꼬리를 만지는 일
싫어하는 것	추위

블라드.

츠키가타
님.

다녀왔다.

츠키가타
님!

츠키가타 님은
때때로 훌쩍
없어져서는

상처투성이가
되어
돌아오곤
했다.

너는
츠키가타 님
곁에
접근하지 마라.

예….

최근에는
그 횟수가
늘어났다.

그건 중요한 일입니까?

내게 저 아이를 구하라는 겁니까?

왜 그런 일을 시키는 것이지요?

왜지요?

뭐?

아이가 죽어가고 있단 말이다!!

이 녀석 무슨 소리를 하는 거냐.

자주 있는 일입니다.

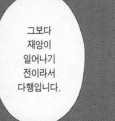

그보다 재앙이 일어나기 전이라서 다행입니다.

이것으로
지상은
계속해서
평온할
것입니다.

평온…

인간
따위
가축이다.

이
비극이
참극이

이것이
평온.

재앙이
아니라는
것인가.

다행이다….

이걸로….

모두를
구했다….

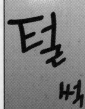

지금은
낚싯대
불요

파
바
밥
밥
박

이 무슨
무서운
짓을….

신을
죽인
겁니다.

당신은
용신을

이 세상의
섭리가
흐트러졌습니다.

그래서
어떻다는
거냐.

신의 분노가
쏟아질
것입니다.

내 목숨이
있잖아요.

내 눈은
틀림없으니까
말이야.

너희가
지탱해 주었기
때문에
난 신으로
있을 수
있었단다.

아즈키.

운즈키.

파

츠키가타
님!

파

츠키가타
님!

나로서는 흉내 낼 수 없어.

츠키가타 님…

축축하고 음침한 것이

곰팡이 냄새가 나는군요….

이런.

곰팡이가 아니라

새로 신이 된 블라드 님이셨나요.

이거이거, 실례했습니다.

그렇습니다. 내 이름은 하쿠렌. 이웃이에요.

신인가.

우리도 슬슬 땅이 좁아져서 말이죠.

당신을 쓰러뜨리고 이 땅을 차지하려고 생각했답니다.

이곳은 내 토지다.

누구에게도 넘겨주지 않겠다!

츠기가타 님이 맡겨주신 토지다.

츠키가타는 내 오랜 친구입니다.

그를 대신해서 내가 친절하게 하나하나 지도해 드리지요.

농담 이에요.

예… 예.

자자, 일어나세요.

내게 이 토지를 소개해 주세요.

특이한 차림을 하고 있군요.

제가 흡혈귀라는 걸 감추지 않고 살아가자고 생각했습니다.

피로 더러워져 있느니 천하니 그런 말을 듣고 있지요만….

그렇다면 훌쩍거리지 말고

정신을 똑바로 유지해. 어린 녀석이.

츠키가타...
보고
있습니까.

진짜냐?

그럼 넌
방패다!!

뭐지는 잘
모르겠으나
나는 도움이
될 게다.

또 켄!
따라
왔어!!

롯롯,
야박하구나.

블라드에게는
이렇게나
좋은 친구들이
많습니다.

블라드를
구하자!!

예이--!!

자.

다카마가하라의
신들보다 먼저
블라드를
찾아내고

동시에
범인도
확보해야
합니다.

블라드를
구하려면

그들은
진실 따위
개의치
않습니다.

용신을
진정시킬 수
있다면
그것으로
족한 겁니다.

상대가 먼저
블라드를
발견한다면

블라드를
확실하게
없애버릴
겁니다.

이봐.

뭔가요?

종알 종알 종알 종알 종알 종알

쿨쿨~

신이란
것은
말이지요

제24화「지키는 자」

당신은

블라드 님이
신을 죽였다고
정말로
믿으시는 겁니까?

이곳에는
없는 것
같군요.

있었다면
그 자리면
모습을
나타냈을
겁니다.

텱

보내
드릴 수
없습니다.

죽어도
막겠다!!

혼홋.
그러하니라.

블라드를
봤다는 게
사실이냐?!

이봐!

나는
그 안표를

그것은 상대가
있는 장소를
파악할 수 있게
해 주는 것이긴
하나
안표를
붙여놓은 것이
보는 세계도
같이
들여다볼 수
있느니라.

내가
쿠로토리 공에게
붙여놓은 안표가
있지 않으냐.

내 마음에 든
야생동물에게
붙여놓는데
말이지.

그 중 한 마리인
너구리가
블러드를 본 게다.

진짜?!

네가 길안내에
도움이 되는 날이
오리라고는
생각도 못했다!

꽤
하잖아!

홋홋.
부끄럽구나.

......

전 저 용들을
조금 조용하게
만들고
오겠습니다.

야히코.
먼저 가주세요.

어?

넌
안 가는 거냐,
하쿠렌.

그건
무리야!

너 혼자서
말이냐?!

아뇨.

동료들이
달려와
주었으니까요.

하고…

소네 얀!

슈텐도지
님이시잖아요.

누구?

← 남자 얼굴은 그다지 잘
기억하지 못한다

웃는
얼굴이
보고
싶습니다.

붕대,
풀었구나.

그렇구나.

예.

딸아이가
졸라대서
말입니다.

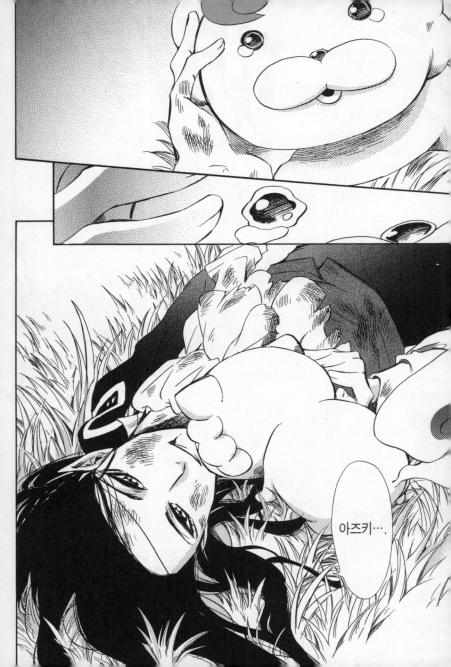

괜찮으냐?

괴롭지는 않으냐?

아프지는 않으냐?

블라드 으으!

무슨 일이냐, 아즈키.

마가츠히 노카미가 널 죽이러 왔다.

이 상처는 용신살해범이 입힌 거냐?

그런가….

내가 용신을 죽인 게 된 것이로군.

그래.

블라드.

넌 범인을 본 거냐?

같이 베였다.

마지막까지 용신 옆에 있었으니까 말이지.

그래, 봤다.

최근
어깨가 아프니
올라타지
말라고?

나약한 놈

아버님—

아이를
구해
주었습니다.

죽었다고
포기했던
아이를….

내가
구할 수
없었던
아이를….

그것으로
내 마음이

구해
주었습니다.

얼마나
구원받았던지.

그 날.

츠키가타를
베고 난 뒤….

저 아이는…

이 행위에
무슨 의미가
있다는 것이냐.

참방

곧
죽을
텐데…

아이를
구해라!

그저
기뻤다….

안심
하세요.
금방
좋아질
겁니다.

흐아

이 덧없는
존재들을
지켜주고
싶다.

그 마음이
계속
부풀어
올라….

결국 용신을
죽이고 만 것
입니다.

당신을
원망
했습니다.

블라드.

이것은 모두
당신 탓이라고
생각하며

죄를
덮어씌우려고
했습니다.

괜한 고생만 했군요.

게다가

용신은 나를 죽이지 못합니다.

당신이 지켜줘야 할 정도로 약하지 않습니다.

블러드 님.

하나

기뻤습니다.

작가의 집에는
가시 복의 박제가
있습니다.

해변의 모래밭에
떠밀려온 가시 복을 주워
만들었습니다.

뭐든지 다
선령님으로
만드는 것도
좋네.

분명히
그것도 선령님
이것도 선령님.

엄마!

아빠!

다녀왔습니다—!

유야 봐봐—!

누나는 늘 시끄럽다.

아 진짜 믿기질 않—아.

어때? 대단하지? 굉장하지?

짜잔

그이한테 프로포즈 받았답니다!

꿈꾸는 것 같—아.

오늘은 특히 더 시끄럽다.

149

내일은 외식이라도 할까?

저녁을 좀 더 잘 차렸을 텐데.

얘도 참. 빨리 말해줬으면

어머, 근사하구나.

잘 됐구나, 미사키.

축하한다, 미사키.

필요 없어요.

유야는 저녁 안 먹니?

어머.

안 가.

있지― 있지―. 결혼식은 언제가 좋을 것 같아?

아니야.

질투 하는 거야?

나…

누나
결혼식에
안 갈 거야.

자리
비워놓을
테니까.

그렇구나.

그럼
오고 싶어지면
언제든지 와.

누나는
늘 시끄럽다.

제26화「행복의 열차」

5개월 뒤….

달각

삐삐삐삐

6:30

6:2

후아앙-

다행이다.
알아차리지
못했다.

사람인 줄
알았다.
코스프레인 줄
알았다.

뭔가 지금
우리를
쳐다보지
않았어?

기분
탓이겠지.

그런가...

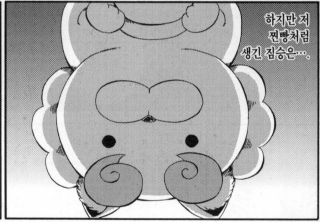

하지만 저
찐빵처럼
생긴 짐승은...

우와아!

이상한
녀석.

아무도
없는데
또 혼자
중얼거리고
있어.

뭐야,
저 녀석.

아차.

숙덕
숙덕

그만해.

싫어.

떠올리지 마.

기분
나쁘다니까.

툭

괜찮아.

누나…

어떻게

아시는
건가요?

포기하는
거냐?

누나의
결혼식에
가고
싶잖아?

어?

부탁합니다!

5분만이라도 좋아요!

금방 돌아올 테니까!

누나의 결혼식장까지 데려다 주세요!

돈이 없는 자는 안 돼.

게다가 누가 인간 따위를 위해서….

사람도
요괴도
맑고
깨끗해진다….

아직 조금
부족하지만…

?

할끗

자, 꽉
붙잡으라고!

실물
블라드
님~~♡

좋은 것도
볼 수
있었겠다.

깎아주자.

그 날…

처음으로

누나가
우는 걸
봤다.

축하해.

행복하기
바라.

내 소중한 사람.

실물
블라드 님은
상상 이상으로
아름다우셨어···

블라드는 수예를 좋아한다.

일본에 오기 전부터 갖고 있던 취미로

틈만 나면 뭔가를 만든다.

특히 즐겨 만드는 것은 내 인형이다.

사실은 아주 살짝 그것들이 늘어나는 것을 기대하고 있다!

본인한테는 말하지 않겠지만 말이지

오!

다 됐다!

그 외에 내 모습을 집어넣은 자수나 편물.

내 옷 같은 것도 만들고 있다.

넌 왜 그렇게 마음이 좁은 게냐!

?!

내…
내 마음이
좁다고….

좁다고….

헉

아즈키!

블러드
따위
딱 질색
이다아아!!

번외편 「그 날」

쬐끄매.

여깁니다. 여기 있습니다요.

자.

둥굴

그렇지? 그럼그럼.

정말로 친절하고 마음이 넓으신 분이군요.

고맙습니다.

과거를 바꾼다니….

생사에 관계되는 운명은 바꿀 수 없습니다만

그 이외라면 바꿀 수 있습니다요.

저는 도키와타리 라고 하는 요괴입니다.

구해주신 답례로 한 가지 바꾸고 싶은 때가 있으시다면 그 날로 보내드리지요.

어?

아아…

그런가.

그랬던
건가….

돌아봤기
때문이구나.

어쩔 수 없는 녀석. 용서해 줄까.

나는 마음이 넓으니까 말이지.

내가 심한 말을 했어.

미안 하다.

아즈키.

블라드.

후회도 많이 했지만

잘 됐다고 생각하는 일도 잔뜩 있다고.

신이라고 불린 흡혈귀 ⑤ 끝

드디어
블라드의
과거가
밝혀졌습니다.

단편이 아니라
이렇게 길고 정성스럽게
블라드의 과거를
그릴 수가 있었습니다.

응원해주신
독자
여러분의
덕분입니다.

번쩍번쩍
빛나는
블라드

하지만
아직도
그리고 싶은
이야기가
많습니다.

츠키가타
님과
버섯을
따러 가는
이야기나

일본요리를
배우는
이야기.

딸기
조림
을…

그건
네 머릿속
에나
담아 둬.

그러고 보니,
「블라드」는 그대로
「블라드」라고
부르고 있습니다만

「츠키가타 님」은
님을 붙이고
있습니다.

그밖에
「야히코」는
「야히코」이고

「하쿠렌 님」은
「하쿠렌 님」
입니다.

나한테도
님을 붙여라.

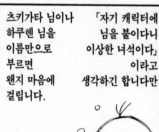

「자기 캐릭터에
님을 붙이다니
이상한 녀석이다」
이라고
생각하긴 합니다만

츠키가타 님이나
하쿠렌 님을
이름만으로
부르면
왠지 마음에
걸립니다.

그 이유는
의아하게
여기고 나서야
비로소
알아차렸습니다.

주인공
블라드가
그렇게
부르기
때문이다!

두둥

블라드는
작가가 만든
캐릭터
입니다만

살아서 움직이는
사이에
작가도 영향을
받는 것인지도
모르겠네요.

에헴

그럼
6권에서
다시
만나 뵙지요.

193

신이라고 불린 흡혈귀 5

초판 1쇄 발행 2021년 6월 20일

만화_ Umi Sakurai
옮긴이_ 이진주

발행인_ 신현호
편집부장_ 윤영천
편집진행_ 김기준 · 김승신 · 원현선 · 권세라
커버디자인_ 양우연
내지디자인_ CMY그래픽
관리 · 영업_ 김민원 · 조인희

펴낸곳_ (주)디앤씨미디어
등록_ 2002년 4월 25일 제20-260호
주소_ 서울시 구로구 디지털로 26길 111 JnK디지털타워 503호
전화_ 02-333-2513(대표)
팩시밀리_ 02-333-2514
이메일_ lnovelpiya@naver.com
L노벨 공식 카페_ http://cafe.naver.com/lnovel11

KAMI TO YOBARETA KYUKETSUKI vol.5
©2017 Umi Sakurai / SQUARE ENIX CO., LTD.
First published in Japan in 2017 by SQUARE ENIX CO., LTD.
Korean translation rights arranged with SQUARE ENIX CO., LTD. and D&C MEDIA Co., Ltd.
through Tuttle-Mori Agency, Inc.

ISBN 979-11-278-6031-8 07830
ISBN 979-11-278-5745-5 (세트)

값 5,500원